GREYHOUND LOVER'S
ADDRESS BOOK

Design by Sarah Flitcroft & Sarah Williams

ISBN 1 904439 51 9

ACKNOWLEDGEMENTS
The publishers would like to thank all those who contributed photographs of their
wonderful greyhounds who are now enjoying a well-deserved retirement. They include:
Judy Zatonski, Elisa Manna, Riikka Kivioja, David Linford, Gareth Thomas,
Manda Vince, Iris Moore, Dr Miguel Lasa, the White family, Ian Dunlop, Donna Sander,
Liana Phillips & Andrew Kerr, and Marcella Zappeij who has allowed us to use many of
her stunning photos of greyhounds rescued from Spain.

We would also like to thank the Retired Greyhound Trust, Cynthia Branigan of Make Peace
With Animals, and Anne Finch of Greyhounds in Need, who have supported this project,
as well as working tirelessly to find homes for retired greyhounds.

Loretta

Name _____

Address _____

_____

Telephone 1: _____

Telephone 2: _____

Email: _____

Name _____

Address _____

_____

Telephone 1: _____

Telephone 2: _____

Email: _____

Name _____

Address _____

_____

Telephone 1: _____

Telephone 2: _____

Email: _____

Name _____

Address _____

_____

Telephone 1: _____

Telephone 2: _____

Email: _____

Name _____

Address _____

_____

Telephone 1: _____

Telephone 2: _____

Email: _____

Sophie (Nobodys Perfect)

Name

Address

Telephone 1:

Telephone 2:

Email:

Name

Address

Telephone 1:

Telephone 2:

Email:

Berry, Bracken and Cara

Name

Address

Telephone 1:

Telephone 2:

Email:

Name

Address

Telephone 1:

Telephone 2:

Email:

Name

Address

Telephone 1:

Telephone 2:

Email:

A

A

Fast Fit

Name
Address

Telephone 1:
Telephone 2:
Email:

Name
Address

Telephone 1:
Telephone 2:
Email:

Name
Address

Telephone 1:
Telephone 2:
Email:

Name
Address

Telephone 1:
Telephone 2:
Email:

Name
Address

Telephone 1:
Telephone 2:
Email:

Name _____

Address _____

_____

_____

Telephone 1: _____

Telephone 2: _____

Email: _____

Name _____

Address _____

_____

_____

Telephone 1: _____

Telephone 2: _____

Email: _____

Name _____

Address _____

_____

_____

Telephone 1: _____

Telephone 2: _____

Email: _____

Name _____

Address _____

_____

_____

Telephone 1: _____

Telephone 2: _____

Email: _____

Name _____

Address _____

_____

_____

Telephone 1: _____

Telephone 2: _____

Email: _____

Lara
and
Lucero

Name _____

Address _____

_____

_____

Telephone 1: _____

Telephone 2: _____

Email: _____

Name

Address

Telephone 1:

Telephone 2:

Email:

Name

Address

Telephone 1:

Telephone 2:

Email:

Name

Address

Telephone 1:

Telephone 2:

Email:

Name

Address

Telephone 1:

Telephone 2:

Email:

Name

Address

Telephone 1:

Telephone 2:

Email:

Flash

Name

Address

Telephone 1:

Telephone 2:

Email:

Name

Address

Telephone 1:

Telephone 2:

Email:

Name

Address

Telephone 1:

Telephone 2:

Email:

Name

Address

Telephone 1:

Telephone 2:

Email:

Name

Address

Telephone 1:

Telephone 2:

Email:

Name

Address

Telephone 1:

Telephone 2:

Email:

Name

Address

Telephone 1:

Telephone 2:

Email:

Name

Address

Telephone 1:

Telephone 2:

Email:

B

Jerry

Name

Address

Telephone 1:

Telephone 2:

Email:

Name

Address

Telephone 1:

Telephone 2:

Email:

Name

Address

Telephone 1:

Telephone 2:

Email:

Name

Address

Telephone 1:

Telephone 2:

Email:

Solara and
Duquesa

Name

Address

Telephone 1:

Telephone 2:

Email:

Name

Address

Telephone 1:

Telephone 2:

Email:

Bella and Luna

Name

Address

Telephone 1:

Telephone 2:

Email:

Name

Address

Telephone 1:

Telephone 2:

Email:

Name

Address

Telephone 1:

Telephone 2:

Email:

B

Name

Address

Telephone 1:

Telephone 2:

Email:

Name

Address

Telephone 1:

Telephone 2:

Email:

Name

Address

Telephone 1:

Telephone 2:

Email:

Name

Address

Telephone 1:

Telephone 2:

Email:

Name

Address

Telephone 1:

Telephone 2:

Email:

Name

Address

Telephone 1:

Telephone 2:

Email:

Alice

Bracken with Cheeko, the rabbit

Name

Address

Telephone 1:

Telephone 2:

Email:

Name

Address

Telephone 1:

Telephone 2:

Email:

Name

Address

Telephone 1:

Telephone 2:

Email:

Name

Address

Telephone 1:

Telephone 2:

Email:

Name

Address

Telephone 1:

Telephone 2:

Email:

Name _____
Address _____
_____
Telephone 1: _____
Telephone 2: _____
Email: _____

Name _____
Address _____
_____
Telephone 1: _____
Telephone 2: _____
Email: _____

Name _____
Address _____
_____
Telephone 1: _____
Telephone 2: _____
Email: _____

Name _____
Address _____
_____
Telephone 1: _____
Telephone 2: _____
Email: _____

Name _____
Address _____
_____
Telephone 1: _____
Telephone 2: _____
Email: _____

Alza

Name

Address

Telephone 1:

Telephone 2:

Email:

Name

Address

Telephone 1:

Telephone 2:

Email:

Monki

Name

Address

Telephone 1:

Telephone 2:

Email:

Name

Address

Telephone 1:

Telephone 2:

Email:

Name

Address

Telephone 1:

Telephone 2:

Email:

Name _____

Address _____

_____

_____

Telephone 1: _____

Telephone 2: _____

Email: _____

Name _____

Address _____

_____

_____

Telephone 1: _____

Telephone 2: _____

Email: _____

Name _____

Address _____

_____

_____

Telephone 1: _____

Telephone 2: _____

Email: _____

Mr Mac

Name _____

Address _____

_____

_____

Telephone 1: _____

Telephone 2: _____

Email: _____

Name _____

Address _____

_____

_____

Telephone 1: _____

Telephone 2: _____

Email: _____

Billy (Small Tune) and Ella (Abaacus Buttons)

Name

Address

Telephone 1:

Telephone 2:

Email:

Name

Address

Telephone 1:

Telephone 2:

Email:

Name

Address

Telephone 1:

Telephone 2:

Email:

Name

Address

Telephone 1:

Telephone 2:

Email:

Name

Address

Telephone 1:

Telephone 2:

Email:

Name

Address

Telephone 1:

Telephone 2:

Email:

Name

Address

Telephone 1:

Telephone 2:

Email:

Name

Address

Telephone 1:

Telephone 2:

Email:

Name

Address

Telephone 1:

Telephone 2:

Email:

Name

Address

Telephone 1:

Telephone 2:

Email:

Barda

Name _____

Address _____

_____

_____

Telephone 1: _____

Telephone 2: _____

Email: _____

Name _____

Address _____

_____

_____

Telephone 1: _____

Telephone 2: _____

Email: _____

Name _____

Address _____

_____

_____

Telephone 1: _____

Telephone 2: _____

Email: _____

Name _____

Address _____

_____

_____

Telephone 1: _____

Telephone 2: _____

Email: _____

Name _____

Address _____

_____

_____

Telephone 1: _____

Telephone 2: _____

Email: _____

Name _____

Address _____

_____

_____

Telephone 1: _____

Telephone 2: _____

Email: _____

Name _____

Address _____

_____

_____

Telephone 1: _____

Telephone 2: _____

Email: _____

Maya, Ira and Titti

Name

Address

Telephone 1:

Telephone 2:

Email:

Name

Address

Telephone 1:

Telephone 2:

Email:

Name

Address

Telephone 1:

Telephone 2:

Email:

Name

Address

Telephone 1:

Telephone 2:

Email:

Name

Address

Telephone 1:

Telephone 2:

Email:

Name

Address

Telephone 1:

Telephone 2:

Email:

Name

Address

Telephone 1:

Telephone 2:

Email:

Lunya

Name

Address

Telephone 1:

Telephone 2:

Email:

Name

Address

Telephone 1:

Telephone 2:

Email:

Name

Address

Telephone 1:

Telephone 2:

Email:

Name

Address

Telephone 1:

Telephone 2:

Email:

Name

Address

Telephone 1:

Telephone 2:

Email:

Name

Address

Telephone 1:

Telephone 2:

Email:

Name

Address

Telephone 1:

Telephone 2:

Email:

Ginger

Name

Address

Telephone 1:

Telephone 2:

Email:

Name

Address

Telephone 1:

Telephone 2:

Email:

Name

Address

Telephone 1:

Telephone 2:

Email:

Name

Address

Telephone 1:

Telephone 2:

Email:

Name

Address

Telephone 1:

Telephone 2:

Email:

Name

Address

Telephone 1:

Telephone 2:

Email:

Saffron

Bleuboy

Name

Address

Telephone 1:

Telephone 2:

Email:

Name

Address

Telephone 1:

Telephone 2:

Email:

Name

Address

Telephone 1:

Telephone 2:

Email:

Name

Address

Telephone 1:

Telephone 2:

Email:

Name

Address

Telephone 1:

Telephone 2:

Email:

Name

Address

Telephone 1:

Telephone 2:

Email:

Name

Address

Telephone 1:

Telephone 2:

Email:

Name

Address

Telephone 1:

Telephone 2:

Email:

Name

Address

Telephone 1:

Telephone 2:

Email:

Name

Address

Telephone 1:

Telephone 2:

Email:

Name

Address

Telephone 1:

Telephone 2:

Email:

Name

Address

Telephone 1:

Telephone 2:

Email:

Bracken

Name

Address

Telephone 1:

Telephone 2:

Email:

Name

Address

Telephone 1:

Telephone 2:

Email:

Name

Address

Telephone 1:

Telephone 2:

Email:

Bradley

E

Name _____
Address _____
_____
_____
Telephone 1: _____
Telephone 2: _____
Email: _____

Name _____
Address _____
_____
_____
Telephone 1: _____
Telephone 2: _____
Email: _____

Name _____
Address _____
_____
_____
Telephone 1: _____
Telephone 2: _____
Email: _____

Name _____
Address _____
_____
_____
Telephone 1: _____
Telephone 2: _____
Email: _____

Name _____
Address _____
_____
_____
Telephone 1: _____
Telephone 2: _____
Email: _____

Polka and Linda

Red

Name
Address

Telephone 1:
Telephone 2:
Email:

Name
Address

Telephone 1:
Telephone 2:
Email:

Name
Address

Telephone 1:
Telephone 2:
Email:

Name
Address

Telephone 1:
Telephone 2:
Email:

Name
Address

Telephone 1:
Telephone 2:
Email:

Name

Address

Telephone 1:

Telephone 2:

Email:

Name

Address

Telephone 1:

Telephone 2:

Email:

Name

Address

Telephone 1:

Telephone 2:

Email:

Polly, Wilma and Harry

Name

Address

Telephone 1:

Telephone 2:

Email:

Name

Address

Telephone 1:

Telephone 2:

Email:

Name

Address

Telephone 1:

Telephone 2:

Email:

Name

Address

Telephone 1:

Telephone 2:

Email:

Foxy

Name

Address

Telephone 1:

Telephone 2:

Email:

Name

Address

Telephone 1:

Telephone 2:

Email:

Name

Address

Telephone 1:

Telephone 2:

Email:

F

F

Name

Address

Telephone 1:

Telephone 2:

Email:

Name

Address

Telephone 1:

Telephone 2:

Email:

Name

Address

Telephone 1:

Telephone 2:

Email:

Ramona

Name

Address

Telephone 1:

Telephone 2:

Email:

Name

Address

Telephone 1:

Telephone 2:

Email:

Name

Address

Telephone 1:

Telephone 2:

Email:

Name

Address

Telephone 1:

Telephone 2:

Email:

Name

Address

Telephone 1:

Telephone 2:

Email:

Name

Address

Telephone 1:

Telephone 2:

Email:

Monki

F

Name

Address

Telephone 1:

Telephone 2:

Email:

Name

Address

Telephone 1:

Telephone 2:

Email:

Name

Address

Telephone 1:

Telephone 2:

Email:

Name

Address

Telephone 1:

Telephone 2:

Email:

Name

Address

Telephone 1:

Telephone 2:

Email:

Name

Address

Telephone 1:

Telephone 2:

Email:

Name

Address

Telephone 1:

Telephone 2:

Email:

Name

Address

Telephone 1:

Telephone 2:

Email:

Laurel

Name	Name	Name
Address	Address	Address
Telephone 1:	Telephone 1:	Telephone 1:
Telephone 2:	Telephone 2:	Telephone 2:
Email:	Email:	Email:

Name	Name	Name
Address	Address	Address
Telephone 1:	Telephone 1:	Telephone 1:
Telephone 2:	Telephone 2:	Telephone 2:
Email:	Email:	Email:

Name

Address

Telephone 1:

Telephone 2:

Email:

Ella

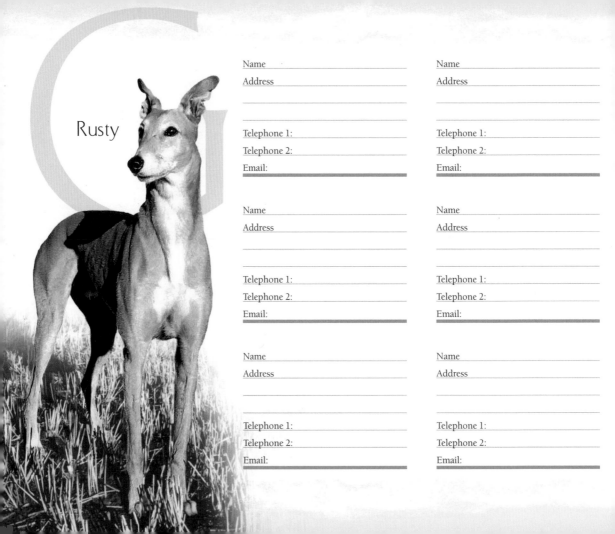

Rusty

Name

Address

Telephone 1:

Telephone 2:

Email:

Name

Address

Telephone 1:

Telephone 2:

Email:

Name

Address

Telephone 1:

Telephone 2:

Email:

Name

Address

Telephone 1:

Telephone 2:

Email:

Name

Address

Telephone 1:

Telephone 2:

Email:

Name

Address

Telephone 1:

Telephone 2:

Email:

Name
Address

Telephone 1:
Telephone 2:
Email:

Name
Address

Telephone 1:
Telephone 2:
Email:

Ellie May

Name
Address

Telephone 1:
Telephone 2:
Email:

Name
Address

Telephone 1:
Telephone 2:
Email:

Name
Address

Telephone 1:
Telephone 2:
Email:

Name

Address

Telephone 1:

Telephone 2:

Email:

Name

Address

Telephone 1:

Telephone 2:

Email:

Name

Address

Telephone 1:

Telephone 2:

Email:

Name

Address

Telephone 1:

Telephone 2:

Email:

Name

Address

Telephone 1:

Telephone 2:

Email:

Name

Address

Telephone 1:

Telephone 2:

Email:

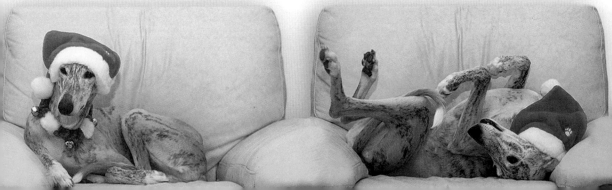

Name

Address

Telephone 1:

Telephone 2:

Email:

Name

Address

Telephone 1:

Telephone 2:

Email:

Name

Address

Telephone 1:

Telephone 2:

Email:

Name

Address

Telephone 1:

Telephone 2:

Email:

Name

Address

Telephone 1:

Telephone 2:

Email:

Name

Address

Telephone 1:

Telephone 2:

Email:

Name

Address

Telephone 1:

Telephone 2:

Email:

Titti

Name

Address

Telephone 1:

Telephone 2:

Email:

Name

Address

Telephone 1:

Telephone 2:

Email:

Name

Address

Telephone 1:

Telephone 2:

Email:

Name

Address

Telephone 1:

Telephone 2:

Email:

Name

Address

Telephone 1:

Telephone 2:

Email:

Name

Address

Telephone 1:

Telephone 2:

Email:

Name _____
Address _____
_____
_____
Telephone 1: _____
Telephone 2: _____
Email: _____

Name _____
Address _____
_____
_____
Telephone 1: _____
Telephone 2: _____
Email: _____

Auleigh

Name _____
Address _____
_____
Telephone 1: _____
Telephone 2: _____
Email: _____

Name _____
Address _____
_____
Telephone 1: _____
Telephone 2: _____
Email: _____

Name _____
Address _____
_____
Telephone 1: _____
Telephone 2: _____
Email: _____

Name _____

Address _____

_____

Telephone 1: _____

Telephone 2: _____

Email: _____

Name _____

Address _____

_____

Telephone 1: _____

Telephone 2: _____

Email: _____

Name _____

Address _____

_____

Telephone 1: _____

Telephone 2: _____

Email: _____

Name _____

Address _____

_____

Telephone 1: _____

Telephone 2: _____

Email: _____

Name _____

Address _____

_____

Telephone 1: _____

Telephone 2: _____

Email: _____

Missy (Pizza) and friend

Name

Address

Telephone 1:

Telephone 2:

Email:

Name

Address

Telephone 1:

Telephone 2:

Email:

Chloe and Gia

Name

Address

Telephone 1:

Telephone 2:

Email:

Name

Address

Telephone 1:

Telephone 2:

Email:

Name

Address

Telephone 1:

Telephone 2:

Email:

Name _____

Address _____

_____

Telephone 1: _____

Telephone 2: _____

Email: _____

Name _____

Address _____

_____

Telephone 1: _____

Telephone 2: _____

Email: _____

Name _____

Address _____

_____

Telephone 1: _____

Telephone 2: _____

Email: _____

Barbie Baby

Name _____

Address _____

_____

Telephone 1: _____

Telephone 2: _____

Email: _____

Name _____

Address _____

_____

Telephone 1: _____

Telephone 2: _____

Email: _____

Name _____
Address _____
_____
_____
Telephone 1: _____
Telephone 2: _____
Email: _____

Name _____
Address _____
_____
_____
Telephone 1: _____
Telephone 2: _____
Email: _____

The Meacocks Family

Name _____
Address _____
_____
_____
Telephone 1: _____
Telephone 2: _____
Email: _____

Name _____
Address _____
_____
Telephone 1: _____
Telephone 2: _____
Email: _____

Name _____
Address _____
_____
Telephone 1: _____
Telephone 2: _____
Email: _____

J

Name

Address

Telephone 1:

Telephone 2:

Email:

Duquesa

Name

Address

Telephone 1:

Telephone 2:

Email:

Name

Address

Telephone 1:

Telephone 2:

Email:

Name

Address

Telephone 1:

Telephone 2:

Email:

Name

Address

Telephone 1:

Telephone 2:

Email:

Name

Address

Telephone 1:

Telephone 2:

Email:

Name

Address

Telephone 1:

Telephone 2:

Email:

Name

Address

Telephone 1:

Telephone 2:

Email:

Agatha (Tasha) with her Saluki friend, Fantasia

Name

Address

Telephone 1:

Telephone 2:

Email:

Name

Address

Telephone 1:

Telephone 2:

Email:

Name

Address

Telephone 1:

Telephone 2:

Email:

K

Blu

Name

Address

Telephone 1:

Telephone 2:

Email:

Name

Address

Telephone 1:

Telephone 2:

Email:

Name

Address

Telephone 1:

Telephone 2:

Email:

Name

Address

Telephone 1:

Telephone 2:

Email:

Name

Address

Telephone 1:

Telephone 2:

Email:

Name

Address

Telephone 1:

Telephone 2:

Email:

Name

Address

Telephone 1:

Telephone 2:

Email:

Name

Address

Telephone 1:

Telephone 2:

Email:

Sophie

Name

Address

Telephone 1:

Telephone 2:

Email:

Name

Address

Telephone 1:

Telephone 2:

Email:

Name

Address

Telephone 1:

Telephone 2:

Email:

K

Name

Address

Telephone 1:

Telephone 2:

Email:

Name

Address

Telephone 1:

Telephone 2:

Email:

Name

Address

Telephone 1:

Telephone 2:

Email:

Name

Address

Telephone 1:

Telephone 2:

Email:

Name

Address

Telephone 1:

Telephone 2:

Email:

Ira and
family

K

Name

Address

Telephone 1:

Telephone 2:

Email:

Name

Address

Telephone 1:

Telephone 2:

Email:

Name

Address

Telephone 1:

Telephone 2:

Email:

Name

Address

Telephone 1:

Telephone 2:

Email:

Anya

Name

Address

Telephone 1:

Telephone 2:

Email:

Name

Address

Telephone 1:

Telephone 2:

Email:

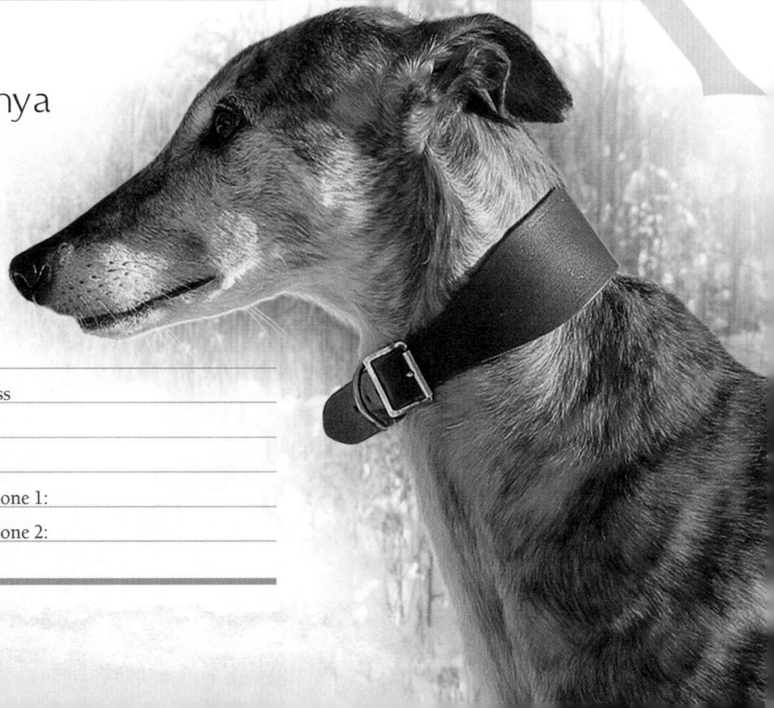

Name

Address

Telephone 1:

Telephone 2:

Email:

Name

Address

Telephone 1:

Telephone 2:

Email:

Name

Address

Telephone 1:

Telephone 2:

Email:

Lucky and Frenz

Name

Address

Telephone 1:

Telephone 2:

Email:

Name

Address

Telephone 1:

Telephone 2:

Email:

Name

Address

Telephone 1:

Telephone 2:

Email:

Name

Address

Telephone 1:

Telephone 2:

Email:

Molly

Name

Address

Telephone 1:

Telephone 2:

Email:

Name

Address

Telephone 1:

Telephone 2:

Email:

Name

Address

Telephone 1:

Telephone 2:

Email:

Name

Address

Telephone 1:

Telephone 2:

Email:

Name

Address

Telephone 1:

Telephone 2:

Email:

Name

Address

Telephone 1:

Telephone 2:

Email:

Name

Address

Telephone 1:

Telephone 2:

Email:

Name

Address

Telephone 1:

Telephone 2:

Email:

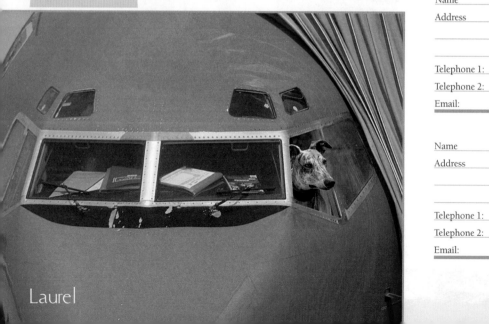

Laurel

Name _____

Address _____

_____

Telephone 1: _____

Telephone 2: _____

Email: _____

Name _____

Address _____

_____

Telephone 1: _____

Telephone 2: _____

Email: _____

Name _____

Address _____

_____

Telephone 1: _____

Telephone 2: _____

Email: _____

Name _____

Address _____

_____

Telephone 1: _____

Telephone 2: _____

Email: _____

Name _____

Address _____

_____

Telephone 1: _____

Telephone 2: _____

Email: _____

Name _____

Address _____

_____

Telephone 1: _____

Telephone 2: _____

Email: _____

Sky and Kay

Name

Address

Telephone 1:

Telephone 2:

Email:

Name

Address

Telephone 1:

Telephone 2:

Email:

Name

Address

Telephone 1:

Telephone 2:

Email:

Name

Address

Telephone 1:

Telephone 2:

Email:

Name

Address

Telephone 1:

Telephone 2:

Email:

Phoebe

Name

Address

Telephone 1:

Telephone 2:

Email:

Name

Address

Telephone 1:

Telephone 2:

Email:

Ollie

Name

Address

Telephone 1:

Telephone 2:

Email:

Name

Address

Telephone 1:

Telephone 2:

Email:

Name

Address

Telephone 1:

Telephone 2:

Email:

Name

Address

Telephone 1:

Telephone 2:

Email:

Name

Address

Telephone 1:

Telephone 2:

Email:

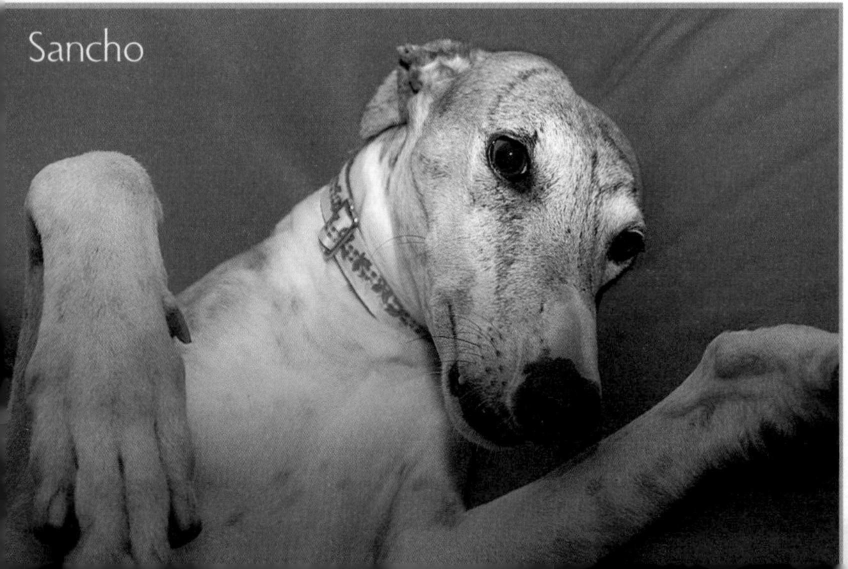

Name

Address

Telephone 1:

Telephone 2:

Email:

Name

Address

Telephone 1:

Telephone 2:

Email:

Name

Address

Telephone 1:

Telephone 2:

Email:

Sancho

Name

Address

Telephone 1:

Telephone 2:

Email:

Name

Address

Telephone 1:

Telephone 2:

Email:

Loretta

Name

Address

Telephone 1:

Telephone 2:

Email:

Name

Address

Telephone 1:

Telephone 2:

Email:

Name

Address

Telephone 1:

Telephone 2:

Email:

Name

Address

Telephone 1:

Telephone 2:

Email:

Name

Address

Telephone 1:

Telephone 2:

Email:

Name

Address

Telephone 1:

Telephone 2:

Email:

Name

Address

Telephone 1:

Telephone 2:

Email:

Name

Address

Telephone 1:

Telephone 2:

Email:

Mr Mac

Name

Address

Telephone 1:

Telephone 2:

Email:

Name

Address

Telephone 1:

Telephone 2:

Email:

Name

Address

Telephone 1:

Telephone 2:

Email:

Jimmy

Name

Address

Telephone 1:

Telephone 2:

Email:

Name

Address

Telephone 1:

Telephone 2:

Email:

Name

Address

Telephone 1:

Telephone 2:

Email:

N

Name
Address

Telephone 1:
Telephone 2:
Email:

Name
Address

Telephone 1:
Telephone 2:
Email:

Name
Address

Telephone 1:
Telephone 2:
Email:

Name
Address

Telephone 1:
Telephone 2:
Email:

Name
Address

Telephone 1:
Telephone 2:
Email:

Name
Address

Telephone 1:
Telephone 2:
Email:

Dulce

Name

Address

Telephone 1:

Telephone 2:

Email:

Name

Address

Telephone 1:

Telephone 2:

Email:

Barney and friend

Name

Address

Telephone 1:

Telephone 2:

Email:

Name

Address

Telephone 1:

Telephone 2:

Email:

Name

Address

Telephone 1:

Telephone 2:

Email:

Name

Address

Telephone 1:

Telephone 2:

Email:

Name

Address

Telephone 1:

Telephone 2:

Email:

Name

Address

Telephone 1:

Telephone 2:

Email:

Name

Address

Telephone 1:

Telephone 2:

Email:

Name

Address

Telephone 1:

Telephone 2:

Email:

Maya

Name

Address

Telephone 1:

Telephone 2:

Email:

Name

Address

Telephone 1:

Telephone 2:

Email:

Flash and Gia

Name

Address

Telephone 1:

Telephone 2:

Email:

Name

Address

Telephone 1:

Telephone 2:

Email:

Name

Address

Telephone 1:

Telephone 2:

Email:

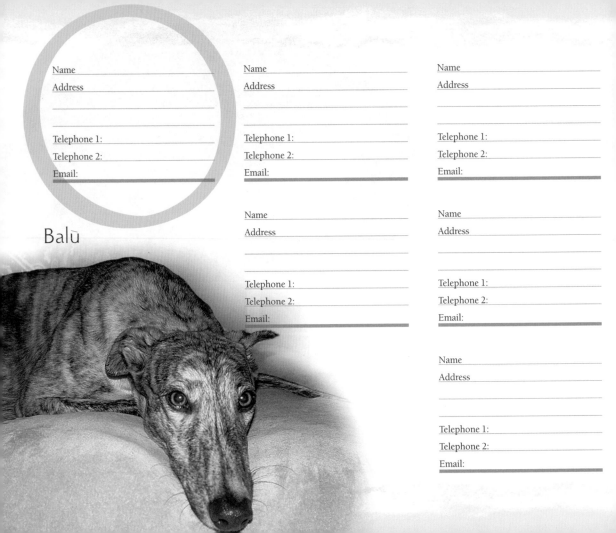

Name

Address

Telephone 1:

Telephone 2:

Email:

Balū

Name

Address

Telephone 1:

Telephone 2:

Email:

Name

Address

Telephone 1:

Telephone 2:

Email:

Name

Address

Telephone 1:

Telephone 2:

Email:

Name

Address

Telephone 1:

Telephone 2:

Email:

Name

Address

Telephone 1:

Telephone 2:

Email:

Name

Address

Telephone 1:

Telephone 2:

Email:

Name

Address

Telephone 1:

Telephone 2:

Email:

Name

Address

Telephone 1:

Telephone 2:

Email:

Name

Address

Telephone 1:

Telephone 2:

Email:

Name

Address

Telephone 1:

Telephone 2:

Email:

Vizkaya

Name

Address

Telephone 1:

Telephone 2:

Email:

Name

Address

Telephone 1:

Telephone 2:

Email:

Name

Address

Telephone 1:

Telephone 2:

Email:

Name

Address

Telephone 1:

Telephone 2:

Email:

Name

Address

Telephone 1:

Telephone 2:

Email:

Saffron

Red

Name

Address

Telephone 1:

Telephone 2:

Email:

Name

Address

Telephone 1:

Telephone 2:

Email:

Name

Address

Telephone 1:

Telephone 2:

Email:

Name

Address

Telephone 1:

Telephone 2:

Email:

Name

Address

Telephone 1:

Telephone 2:

Email:

P

Name
Address

Telephone 1:
Telephone 2:
Email:

Name
Address

Telephone 1:
Telephone 2:
Email:

Name
Address

Telephone 1:
Telephone 2:
Email:

Name
Address

Telephone 1:
Telephone 2:
Email:

Name
Address

Telephone 1:
Telephone 2:
Email:

Name
Address

Telephone 1:
Telephone 2:
Email:

Ibiza

Name

Address

Telephone 1:

Telephone 2:

Email:

Name

Address

Telephone 1:

Telephone 2:

Email:

Rusty and Bracken

Name

Address

Telephone 1:

Telephone 2:

Email:

Name

Address

Telephone 1:

Telephone 2:

Email:

Name

Address

Telephone 1:

Telephone 2:

Email:

Zaragosa

Name

Address

Telephone 1:

Telephone 2:

Email:

Name

Address

Telephone 1:

Telephone 2:

Email:

Name

Address

Telephone 1:

Telephone 2:

Email:

Name

Address

Telephone 1:

Telephone 2:

Email:

Name

Address

Telephone 1:

Telephone 2:

Email:

Name

Address

Telephone 1:

Telephone 2:

Email:

Name

Address

Telephone 1:

Telephone 2:

Email:

Name

Address

Telephone 1:

Telephone 2:

Email:

Maggy

Name

Address

Telephone 1:

Telephone 2:

Email:

Name

Address

Telephone 1:

Telephone 2:

Email:

Name

Address

Telephone 1:

Telephone 2:

Email:

R

Name

Address

Telephone 1:

Telephone 2:

Email:

Name

Address

Telephone 1:

Telephone 2:

Email:

Name

Address

Telephone 1:

Telephone 2:

Email:

Domino

Name

Address

Telephone 1:

Telephone 2:

Email:

Name

Address

Telephone 1:

Telephone 2:

Email:

Name

Address

Telephone 1:

Telephone 2:

Email:

Name

Address

Telephone 1:

Telephone 2:

Email:

Name

Address

Telephone 1:

Telephone 2:

Email:

Orfeo

Name

Address

Telephone 1:

Telephone 2:

Email:

Name

Address

Telephone 1:

Telephone 2:

Email:

Name

Address

Telephone 1:

Telephone 2:

Email:

R

Name _____

Address _____

_____

_____

Telephone 1: _____

Telephone 2: _____

Email: _____

Name _____

Address _____

_____

_____

Telephone 1: _____

Telephone 2: _____

Email: _____

Name _____

Address _____

_____

_____

Telephone 1: _____

Telephone 2: _____

Email: _____

Name _____

Address _____

_____

_____

Telephone 1: _____

Telephone 2: _____

Email: _____

Name _____

Address _____

_____

_____

Telephone 1: _____

Telephone 2: _____

Email: _____

Blue & Foxy

Name

Address

Telephone 1:

Telephone 2:

Email:

Name

Address

Telephone 1:

Telephone 2:

Email:

Dina

Name

Address

Telephone 1:

Telephone 2:

Email:

Name

Address

Telephone 1:

Telephone 2:

Email:

Name

Address

Telephone 1:

Telephone 2:

Email:

Name _____

Address _____

_____

_____

Telephone 1: _____

Telephone 2: _____

Email: _____

Name _____

Address _____

_____

_____

Telephone 1: _____

Telephone 2: _____

Email: _____

Name _____

Address _____

_____

_____

Telephone 1: _____

Telephone 2: _____

Email: _____

Name _____

Address _____

_____

_____

Telephone 1: _____

Telephone 2: _____

Email: _____

Name _____

Address _____

_____

_____

Telephone 1: _____

Telephone 2: _____

Email: _____

Campionata

Name

Address

Telephone 1:

Telephone 2:

Email:

Name

Address

Telephone 1:

Telephone 2:

Email:

Bradley

Name

Address

Telephone 1:

Telephone 2:

Email:

Name

Address

Telephone 1:

Telephone 2:

Email:

Name

Address

Telephone 1:

Telephone 2:

Email:

S

Name

Address

Telephone 1:

Telephone 2:

Email:

Name

Address

Telephone 1:

Telephone 2:

Email:

Name

Address

Telephone 1:

Telephone 2:

Email:

Milola

Name

Address

Telephone 1:

Telephone 2:

Email:

Name

Address

Telephone 1:

Telephone 2:

Email:

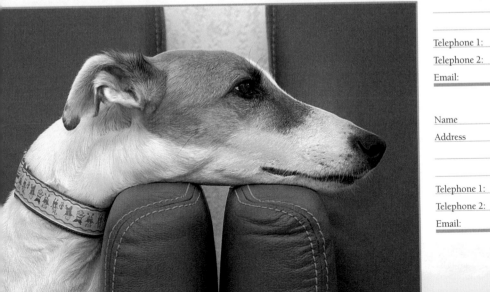

Name

Address

Telephone 1:

Telephone 2:

Email:

Name

Address

Telephone 1:

Telephone 2:

Email:

Monty

Name

Address

Telephone 1:

Telephone 2:

Email:

Name

Address

Telephone 1:

Telephone 2:

Email:

Name

Address

Telephone 1:

Telephone 2:

Email:

Name _____

Address _____

_____

_____

Telephone 1: _____

Telephone 2: _____

Email: _____

Name _____

Address _____

_____

Telephone 1: _____

Telephone 2: _____

Email: _____

Name _____

Address _____

_____

_____

Telephone 1: _____

Telephone 2: _____

Email: _____

Pinuccio

Name _____

Address _____

_____

_____

Telephone 1: _____

Telephone 2: _____

Email: _____

Name _____

Address _____

_____

_____

Telephone 1: _____

Telephone 2: _____

Email: _____

Name

Address

Telephone 1:

Telephone 2:

Email:

Name

Address

Telephone 1:

Telephone 2:

Email:

Kali

Name

Address

Telephone 1:

Telephone 2:

Email:

Name

Address

Telephone 1:

Telephone 2:

Email:

Name

Address

Telephone 1:

Telephone 2:

Email:

Name	Name	Name
Address	Address	Address
Telephone 1:	Telephone 1:	Telephone 1:
Telephone 2:	Telephone 2:	Telephone 2:
Email:	Email:	Email:

Name	Name
Address	Address
Telephone 1:	Telephone 1:
Telephone 2:	Telephone 2:
Email:	Email:

Name	Name
Address	Address
Telephone 1:	Telephone 1:
Telephone 2:	Telephone 2:
Email:	Email:

Brendan

Name

Address

Telephone 1:

Telephone 2:

Email:

Name

Address

Telephone 1:

Telephone 2:

Email:

Canela

Name

Address

Telephone 1:

Telephone 2:

Email:

Name

Address

Telephone 1:

Telephone 2:

Email:

Name

Address

Telephone 1:

Telephone 2:

Email:

Name

Address

Telephone 1:

Telephone 2:

Email:

Name

Address

Telephone 1:

Telephone 2:

Email:

Name

Address

Telephone 1:

Telephone 2:

Email:

Name

Address

Telephone 1:

Telephone 2:

Email:

Name

Address

Telephone 1:

Telephone 2:

Email:

Name

Address

Telephone 1:

Telephone 2:

Email:

Name

Address

Telephone 1:

Telephone 2:

Email:

Danny

Bracken

Name

Address

Telephone 1:

Telephone 2:

Email:

Name

Address

Telephone 1:

Telephone 2:

Email:

Name

Address

Telephone 1:

Telephone 2:

Email:

Name

Address

Telephone 1:

Telephone 2:

Email:

Name

Address

Telephone 1:

Telephone 2:

Email:

Name

Address

Telephone 1:

Telephone 2:

Email:

Name

Address

Telephone 1:

Telephone 2:

Email:

Name

Address

Telephone 1:

Telephone 2:

Email:

Alonso

Name

Address

Telephone 1:

Telephone 2:

Email:

Name

Address

Telephone 1:

Telephone 2:

Email:

Name

Address

Telephone 1:

Telephone 2:

Email:

Ira and friend

Name

Address

Telephone 1:

Telephone 2:

Email:

Name

Address

Telephone 1:

Telephone 2:

Email:

Name

Address

Telephone 1:

Telephone 2:

Email:

Name

Address

Telephone 1:

Telephone 2:

Email:

Name

Address

Telephone 1:

Telephone 2:

Email:

Name

Address

Telephone 1:

Telephone 2:

Email:

Name

Address

Telephone 1:

Telephone 2:

Email:

Name

Address

Telephone 1:

Telephone 2:

Email:

Name

Address

Telephone 1:

Telephone 2:

Email:

Name

Address

Telephone 1:

Telephone 2:

Email:

Victor

Gitana

Name _____

Address _____

_____

_____

Telephone 1: _____

Telephone 2: _____

Email: _____

Name _____

Address _____

_____

_____

Telephone 1: _____

Telephone 2: _____

Email: _____

Name _____

Address _____

_____

Telephone 1: _____

Telephone 2: _____

Email: _____

Name _____

Address _____

_____

Telephone 1: _____

Telephone 2: _____

Email: _____

Name _____

Address _____

_____

Telephone 1: _____

Telephone 2: _____

Email: _____

Name

Address

Telephone 1:

Telephone 2:

Email:

Name

Address

Telephone 1:

Telephone 2:

Email:

Name

Address

Telephone 1:

Telephone 2:

Email:

Name

Address

Telephone 1:

Telephone 2:

Email:

Name

Address

Telephone 1:

Telephone 2:

Email:

Greta

Teseo

Name
Address

Telephone 1:
Telephone 2:
Email:

Name
Address

Telephone 1:
Telephone 2:
Email:

Name
Address

Telephone 1:
Telephone 2:
Email:

Name
Address

Telephone 1:
Telephone 2:
Email:

Name
Address

Telephone 1:
Telephone 2:
Email:

Name
Address

Telephone 1:
Telephone 2:
Email:

Name _____

Address _____

_____

_____

Telephone 1: _____

Telephone 2: _____

Email: _____

Name _____

Address _____

_____

_____

Telephone 1: _____

Telephone 2: _____

Email: _____

Name _____

Address _____

_____

_____

Telephone 1: _____

Telephone 2: _____

Email: _____

Name _____

Address _____

_____

_____

Telephone 1: _____

Telephone 2: _____

Email: _____

Name _____

Address _____

_____

_____

Telephone 1: _____

Telephone 2: _____

Email: _____

Flecha

Name

Address

Telephone 1:

Telephone 2:

Email:

Name

Address

Telephone 1:

Telephone 2:

Email:

Name

Address

Telephone 1:

Telephone 2:

Email:

Name

Address

Telephone 1:

Telephone 2:

Email:

Name

Address

Telephone 1:

Telephone 2:

Email:

Name

Address

Telephone 1:

Telephone 2:

Email:

Name

Address

Telephone 1:

Telephone 2:

Email:

Milady

XYZ

Name

Address

Telephone 1:

Telephone 2:

Email:

Name

Address

Telephone 1:

Telephone 2:

Email:

Name

Address

Telephone 1:

Telephone 2:

Email:

Name

Address

Telephone 1:

Telephone 2:

Email:

Name

Address

Telephone 1:

Telephone 2:

Email:

Douschka
(Matthew's Girl)

Nigeria

Name _____
Address _____
_____
_____
Telephone 1: _____
Telephone 2: _____
Email: _____

Name _____
Address _____
_____
_____
Telephone 1: _____
Telephone 2: _____
Email: _____

Name _____
Address _____
_____
_____
Telephone 1: _____
Telephone 2: _____
Email: _____

Name _____
Address _____
_____
_____
Telephone 1: _____
Telephone 2: _____
Email: _____

Name _____
Address _____
_____
_____
Telephone 1: _____
Telephone 2: _____
Email: _____

XYZ

Name

Address

Telephone 1:

Telephone 2:

Email:

Name

Address

Telephone 1:

Telephone 2:

Email:

Name

Address

Telephone 1:

Telephone 2:

Email:

Name

Address

Telephone 1:

Telephone 2:

Email:

Name

Address

Telephone 1:

Telephone 2:

Email:

Duquesa